Côtes du Nord

Catalogage avant publication de Bibliothèque et Archives Canada

Baronet, Robert

Côtes du Nord
(Collection Coins de pays)
ISBN 2-551-19679-5

1. Côte-Nord (Québec) - Ouvrages illustrés. 2. Côte-Nord (Québec).
I. Bouchard, Claude, 1950 29 déc.-. II. O'Neil, Jean. III. Titre.
IV. Collection.

FC2945.C68B37 2005   971.4'17'00222   C2005-940875-8

Collection

COINS
— DE —
PAYS

Côtes du Nord

Robert BARONET • Claude BOUCHARD

Jean O'Neil

LES PUBLICATIONS DU QUÉBEC

Québec

Cette publication a été éditée et produite par
Les Publications du Québec
1500D, rue Jean-Talon Nord
Sainte-Foy (Québec) G1N 2E5

Photographies et légendes
Robert Baronet
Claude Bouchard

Texte de présentation
Jean O'Neil

Direction de la collection
Jean Montreuil

Direction artistique
Lucie Pouliot

Révision linguistique
Lucette Lévesque

Collaboration à la réalisation et à la promotion
Benoit Arseneault
Lise Beaulieu
Georges Bolduc
Dominique Doré
Réjean Pilotte

Conception de la grille de collection et de la couverture
Larochelle et Associés

Dépôt légal – 2005
Bibliothèque nationale du Québec
Bibliothèque nationale du Canada
ISBN 2-551-19679-5
ISSN 1714-079X
© Gouvernement du Québec, 2005

REMERCIEMENTS

Je tiens à remercier particulièrement monsieur Jean Gagnon de Safari Anticosti qui m'a permis de découvrir un coin de pays merveilleux et unique en m'apportant un soutien technique inestimable, et à saluer cordialement les gens d'Harrington Harbour.

Je veux également dire ma reconnaissance à tous ceux et celles qui m'ont offert l'hospitalité et les moyens de voyager dans un vaste pays constitué de milliers d'îles et de baies qu'on ne peut visiter que par bateau. Merci à Marc et Denise de Sept-Îles, à la famille de monsieur Roland qui disait avec beaucoup d'humour : « Monsieur Gilles a chanté *Fer et Titane*, nous, nous l'avons vécu. »

Merci au cégep de Matane où j'enseigne au Département de photographie depuis 1986, pour le soutien apporté à mon travail de recherche photographique. Je tiens à souligner aussi la courtoisie et la collaboration de tous ceux qui, au cours de ce travail, m'ont aidé à recueillir de l'information.

Finalement, merci à Jean Montreuil des Publications du Québec de sa confiance et de sa compétence dans l'organisation et l'édition de ce nouveau volume de la collection Coins de pays.

Robert Baronet

Je remercie Linda, mon épouse, pour l'appui apporté à la rédaction de ce livre et pour les nombreuses demandes de financement qu'elle a effectuées, et Jean Montreuil, chef de la collection Coins de pays, pour m'avoir permis de collaborer à ce magnifique nouvel ouvrage des Publications du Québec. J'exprime ma reconnaissance à Micheline Huard, du Musée régional de la Côte-Nord à Sept-Îles, Guy Leroux et Réjean Dumas, du CLD de la Basse-Côte-Nord, pour leur soutien moral et financier. Je remercie chaleureusement Lucie Lapierre et Robert Thérien d'Air Labrador et Robin Kelleher de Relais Nordik inc. pour la gratuité du transport dans les vastitudes de la Basse-Côte-Nord, et mes amis Amy Evans, Magella Beaudoin, Gaétan Jones, Kathy et Jerry Landry pour leur accueil.

Claude Bouchard

Cette nature démesurée que nous apprivoisons sans cesse, sans l'apprivoiser jamais

Parti de Saint-Malo le 20 avril 1534 et ayant traversé l'Atlantique d'est en ouest, Jacques Cartier entre dans le détroit de Belle Isle et en sort devant Blanc-Sablon, un lieu de rassemblement pour morutiers et baleiniers. Cherchant peut-être la discrétion, il passe droit et, le 10 juin, il jette l'ancre dans le havre de Brest, aujourd'hui Vieux-Fort, pour y faire provision d'eau et de bois. Laissant là ses navires, il poursuit l'exploration en barque, arrive dans un archipel interminable qu'il nomme « Toutes Isles » et revient sur ses bordées en notant :

« [...] en toute ladite coste du Nort, je n'y vy une charetée de terre [...] ; fors à Blanc Sablon, il n'y a que de la mousse et de petiz bouays avortez ; fin, j'estime mieux que aultrement que c'est la terre que Dieu donna à "Cayn". »

Voici que la côte est nommée pour la suite de l'histoire.

Cartier pique ensuite vers la Gaspésie, explore la baie des Chaleurs, plante sa croix dans la baie de Gaspé, revient vers la côte nord et, plus indulgent quand il la regarde de loin, il parle de « haultes terres à merveilles et hachées à montagnes ».

L'année suivante, maintenant. C'était un mardi, le 10 août 1535, fête de saint Laurent. Jacques Cartier louvoyait ici et là le long des côtes du grand golfe où il s'était aventuré l'année précédente. Il revoyait les sites qu'il avait identifiés et, ignorant qu'il était dans l'estuaire d'un long fleuve, il poussait plus avant son exploration au fond des baies pour y chercher une percée vers l'intérieur du continent. Ce jour-là, il écrit :

« [Nous] treuvasmes une fort belle et grande baye, plaine d'isles et bonnes entrées, et posaige de tous les temps qu'il pourroyt faire. Et pour connaissance d'icelle baye, y a une grainde ysle, comme ung cap de terre, qui s'avance plus hors que les aultres, et sus la terre, envyron deux lieues, y a une montaigne, faicte comme ung tas de blé. Nous nommasmes la dicte baye, la baye Sainct Laurens. »

Cartier ne découvre rien qui ne soit déjà connu par les Basques. Il ne fait que les suivre dans les territoires où ils pêchent la morue et chassent la baleine depuis plusieurs siècles déjà. Les fours que l'on voit encore sur les rives et dans les îles en témoignent. Mais Cartier est le premier à nommer et à décrire cette partie de l'Amérique du Nord et, dans l'Europe lettrée, ses récits feront fureur. Traduits en espagnol puis en italien, la baie y devient soudain un golfe et un fleuve dits « Saint-Laurent », parfois dits « de Canada », jusqu'à ce que Samuel de Champlain reprenne « Sainct Laurens » en 1604, nom qui s'est imposé par la suite.

Trois jours plus tard, le 13 août 1535, Cartier quitte la baie et donne de la voile vers la Gaspésie où, ne trouvant rien, il revient vers « ladicte coste du nort », et, l'ayant finalement explorée de bout en bout, il s'engage enfin dans le fleuve qui le conduira jusqu'à Stadaconé, puis Hochelaga, devenus Québec et Montréal. Son exploration de la Côte-Nord sera complétée par Jean Fonteneau, dit Jean Alfonse, pilote de Jean-François de la Roque de Roberval, qui remontera le Saint-Laurent en 1542 et publiera son *Routier*, un merveilleux document qui décrit tout son parcours au fil des caps, entre les îles, avec latitudes, longitudes, obstacles et profondeurs.

Ainsi, dès le milieu du XVIe siècle, la Côte-Nord devient la première et la mieux connue des régions de notre pays, une région qui passera au second plan avec la venue de Champlain en 1603 et la colonisation progressive de la vallée du Saint-Laurent.

Au second plan, oui. Oubliée, jamais. Il y a là trop de richesses. Morue, saumon, phoques et baleines seront, avec la fourrure, les premiers biens d'exportation de la nouvelle colonie, les seules garanties de sa survie. Les proches de l'administration, Phélyppeaux de Pontchartrain et de Maurepas, Jolliet, Le Gardeur de Courtemanche s'en sont disputé les concessions et le monopole tout au long du Régime français pour céder la place à la Compagnie de la Baie d'Hudson et aux comptoirs jersiais sous le Régime anglais. Il faut attendre le XXe siècle, l'âge du papier, de l'acier, de l'hydroélectricité et du tourisme, pour que change la vocation économique de ce pays dans un pays.

Aujourd'hui, à l'exception des brise-glace qui montent desservir l'Arctique ou qui en reviennent, les grands navires n'empruntent que rarement le détroit de Belle Isle et seul le *Nordik Express* est fidèle aux villages côtiers privés de route. De Rimouski en passant par Sept-Îles, Anticosti et Havre-Saint-Pierre, il les ravitaille un à un chaque semaine jusqu'à ce que les froids de janvier le ramènent en cale sèche aux Méchins pour ses radoubs. Quand le printemps libère les quais, il reprend la mer en saluant les icebergs qui, eux, continuent de fréquenter le détroit de Belle Isle pour venir s'échouer devant Blanc-Sablon, Harrington Harbour et jusqu'au cap Whittle, passé l'archipel des îles Sainte-Marie.

De nos jours, au contraire des premiers arrivants, la Côte-Nord s'explore d'ouest en est, de Tadoussac à Blanc-Sablon. C'est le pays des grands rivages, des grandes rivières, des grands espaces. C'est le pays de la très vaste mer, douce, colérique, chatoyante, intime et fuyante avec ses marées, odorante en tout temps. C'est un pays de fleurs et d'oiseaux souvent uniques en ce Québec.

Et c'est un pays de gens comme il ne s'en est jamais fait et comme il ne s'en fera jamais d'autres.

De Tadoussac à Blanc-Sablon, Robert Baronet et Claude Bouchard l'ont suivie cette côte fabuleuse, attentifs aux paysages qu'ils allaient découvrir et nous proposer. Pour nous aider à les y suivre, ils ont mis les mots qu'il fallait sur leurs images et nous voici à la case de départ, prêts à la suivre avec eux, attentifs nous aussi aux caps, aux baies, aux rivières.

Attentifs aux gens, aux reliques de l'histoire, au souvenir et aux travaux des nôtres dans cette nature démesurée que nous apprivoisons sans cesse, sans l'apprivoiser jamais.

Tadoussac, au confluent du Saint-Laurent et du Saguenay, attire et rassemble les gens depuis des millénaires en son site exceptionnel de collines arrondies qui tombent dans l'estuaire en dunes de sable aussi doux que le nom du lieu. Les Amérindiens des deux rives du fleuve s'y rencontraient pour échanger des peaux contre du tabac, du poisson, et pour troquer avec les Basques et les Européens qui venaient toujours y faire leur provision d'eau, à l'arrivée comme au départ. En 1603, Samuel de Champlain y soutint une thèse théologique sur les origines de l'homme avec le sagamo Anadabijou, qui célébrait une victoire contre les Iroquois. En 1600, Pierre Chauvin y construisit un poste de traite aujourd'hui reconstitué en musée. Le 17 avril 1782 y décédait le missionnaire jésuite Jean-Baptiste de La Brosse, après seize ans d'apostolat auprès des Montagnais – ou Innus. Sa mort, fleurie de légendes, fait tinter, à minuit, les cloches de ses trois paroisses, l'Isle-Verte, l'Isle-aux-Coudres, Tadoussac, et on le trouve prosterné devant l'enfant Jésus, don de la reine Anne d'Autriche, qui dort dans sa châsse sous le maître-autel.

Le Régime anglais connaît lui aussi la fascination de Tadoussac. La famille Price, magnats du bois d'œuvre et ensuite du papier, s'y installe bientôt et y réside toujours dans la grandeur du site et le respect des traditions du lieu. Lord Dufferin, gouverneur général du Canada et créateur de « la terrasse » à Québec, y aura une résidence fréquentée plus tard par un illustre successeur, le général Georges Vanier.

Au siècle dernier, toute l'Amérique cossue défile dans le grand hôtel de l'endroit lors des croisières à bord des « bateaux blancs » de la Clarke Steamship qui descendent le fleuve depuis Montréal et remontent le Saguenay jusqu'à Chicoutimi.

Aujourd'hui, c'est l'Amérique de tout le monde qui s'y précipite en belles saisons pour la bonne table, la chanson, le théâtre, le trekking dans le Parc marin du Saguenay, la voile, le kayak, les baleines, l'air, l'eau, le sable et les souvenirs.

Un haut lieu du Québec, ce Tadoussac.

La route 138 nous emmène ensuite aux **Bergeronnes** où Ti-Louis Gagnon, archéologue amateur, n'en finissait plus de trouver des choses étranges dans les pentes sableuses qui descendent vers la grève. À force de se faire houspiller, les professionnels sont allés y voir de près et ont découvert une occupation humaine vieille de deux à cinq mille ans. Le centre Archéo-Topo expose ces trésors. Ailleurs au village, les anciens Jeunes Explos ont tout fait pour aménager la Maison de la mer qui accueille en stages la relève des nouveaux, tous adolescents en mal de sciences naturelles.

Au bord de la route qui surplombe le cap de Bon-Désir, un cairn rappelle la mémoire de Pierre Laure, jésuite, dont la paroisse s'étendait de Tadoussac au lac Saint-Jean, du lac Saint-Jean au lac Mistassini, du lac Mistassini à la rivière Manicouagan et retour à Tadoussac. S'asseoir sur les rochers lisses et roses du cap pour regarder passer les baleines est un sport de tout repos, à nul autre pareil.

Aux **Escoumins** le voyageur fait connaissance avec la première des sept communautés montagnaises de la Côte, Essipit. Les suivantes seront Betsiamites, Uashat-Maliotenam près de Sept-Îles, Mingan, Natashquan, La Romaine et Pakuashipi près de Saint-Augustin.

Une plaque sur la façade de la chapelle Sainte-Anne aux **Îlets-Jérémie** rappelle la naissance de Napoléon-Alexandre Comeau, éminent naturaliste, longtemps surnommé le roi de la Côte-Nord. Nous le retrouverons à Baie-Comeau, évidemment, ainsi qu'au cimetière de Godbout où il repose. La chapelle Sainte-Anne et le cimetière montagnais attenant sont des lieux de pèlerinage importants pour les Autochtones qui vénèrent la thaumaturge comme leur sainte patronne.

Betsiamites, communauté montagnaise fort active, est encore attachée au souvenir de deux oblats missionnaires fabuleux, les pères Charles Arnaud et Louis Babel. Arnaud desservait les Autochtones vers le nord-est jusqu'à La Romaine, et Babel jusqu'au lac Saint-Jean vers le sud-ouest. Avec l'arrivée des Acadiens sur la Côte et des Terre-Neuviens au Labrador, Arnaud desservit la Côte de Betsiamites jusqu'à Blanc-Sablon et Babel remonta la côte du Labrador jusque dans l'Ungava. Par la suite, il coupa court à travers les terres, de Sept-Îles jusqu'à l'Ungava, et il fut le premier à signaler les gisements de fer exploités beaucoup plus tard à Schefferville, Fermont et Labrador City. Quant à Arnaud, grand naturaliste, il se fit aussi taxidermiste et collectionneur de pièces archéologiques. Une partie de sa collection fut prêtée à l'Exposition universelle de Chicago en 1892 et ne revint jamais.

En entrant à **Baie-Comeau**, ainsi nommée en hommage à Napoléon-Alexandre qui y avait des droits de chasse dans l'Anse-à-Comeau, nous frappons de plein fouet le boum industriel de la Côte-Nord au milieu du XXᵉ siècle. Pour échapper au monopole de William Hearst, Robert R. McCormick, propriétaire du *Chicago Tribune*, décide de s'approvisionner lui-même en papier journal. Il obtient des concessions forestières, crée la Québec North Shore, construit son usine, un barrage hydroélectrique et, du même coup, une ville en 1937. En 1968, la Société canadienne des métaux Reynolds achète les actions de la Canadian British Aluminum, accélère l'expansion et devient le deuxième géant de la place. Tout cela parce qu'un caillou céleste est tombé à 260 km au nord de la ville il y a 214 millions d'années, y a creusé un cratère météoritique de 70 km de diamètre qui s'est rempli d'eau, qu'on a endigué, qui s'appelle le réservoir de Manicouagan et qui fournit de l'électricité à qui en veut, à Baie-Comeau, entre autres.

Baie-Comeau est également la porte qui s'ouvre sur l'intérieur du pays avec la route Trans-Québec – Labrador qui monte vers Manic 5, les monts Groulx, Fermont, Labrador City, Churchill Falls et Happy Valley, au fond du lac Melville.

Tout un monde!

Dans le cimetière de **Godbout** repose notre ami N.-A. Comeau, naturaliste, écrivain et « sage-femme » – 230 accouchements – mais c'est à **Pointe-des-Monts**, un site merveilleux, qu'il faut célébrer son grand exploit. Il y chassait le phoque avec son frère le 20 janvier 1886 quand il vit ses amis Labrie prisonniers des glaces. Se portant à leur secours, il fut également emporté par le pack et comprit bientôt que leur salut était de traverser le golfe. Plus de vingt-quatre heures dont quatorze dans l'obscurité, par un froid qu'on imagine, à ramer sans arrêt et à courir sur les glaces en tirant le canot et en se dirigeant vers Cap-Chat à la faveur des étoiles. On les croyait morts quand Comeau frappa à la porte d'une humble maison et demanda refuge. Dès son arrivée, il marcha encore trois milles vers un poste télégraphique pour rassurer son monde. Le retour en carriole et en train jusqu'à Lévis, puis en carriole et en raquettes jusqu'à Godbout fut un triomphe et, de l'Europe comme de l'Amérique, les médailles ont plu sur le héros.

À la **Pointe-aux-Anglais**, les uns font un pied de nez à l'amiral Horatio Walker qui, avec sa flotte et 12 000 hommes, s'en allait prendre Québec en 1711. Les autres font une prière pour les 1 390 naufragés et les 900 morts car l'armada s'écrasa en omelette sur les récifs de l'île aux Œufs, tout juste devant. À Québec, l'église Notre-Dame-de-la-Victoire, qui célébrait la déconfiture de Phipps en 1690, prit le pluriel pour célébrer celle de Walker également.

Et nous voici maintenant à **Sept-Îles**, l'autre explosion industrielle du XXe siècle sur la Côte, deuxième port canadien en importance après Vancouver, ville qui fut d'acier avec Iron Ore Canada, qui est maintenant d'aluminium avec Alouette, ville géométrique avec des rues par ordre alphabétique de la mer vers l'intérieur, de Arnaud jusqu'à Laure et au-delà, ville de crevettes, de crabes et de gens qui en raffolent. La marina, le jardin botanique, le musée régional, le musée Shaputuan, le Vieux-Poste, bref, l'archipel tout entier parle d'une parfaite adaptation à la forêt, à l'industrie minière et surtout à la mer, avec des relents d'histoire homérique.

De Sept-Îles, la Côte et la route foncent franc est à l'horizontale pendant près de 500 km, jusqu'au cap Whittle. En passant à **Maliotenam**, près de Moisie, saluons le Montagnais Mathieu André qui parcourut tout le Nouveau-Québec de toutes les façons et qui conduisit géologues et ingénieurs aux gisements ferrugineux de Schefferville ainsi qu'au canyon des chutes Churchill.

De **Sheldrake** il reste peu de chose, quelques maisons et, perdu dans les hautes herbes au bord de la mer, le monument funéraire de Philippe-Gédéon Touzel qui vint y fonder un comptoir de pêche en 1851. Quelques kilomètres plus loin, **Rivière-au-Tonnerre**, une des capitales du crabe. Sa belle église retient toujours les visiteurs. Déjà qu'elle est un phare sur la Côte, on y entre et c'est pur ravissement de monter aux jubés latéraux pour admirer la voûte, décorée avec des motifs que les paroissiens, « gosseux » de génie, ont découpés au canif, pendant les longues soirées d'hiver, sans doute.

D'un village à l'autre, nous voici dans la communauté montagnaise de **Mingan**, fière de son centre culturel et de son église, dont Jack Monoloy aurait été un des artisans.

Ensuite, c'est **Havre-Saint-Pierre**, capitale des Acadiens de la Côte et porte de l'Anticosti-Minganie, ainsi nommée par le frère Marie-Victorin qui, pendant dix ans avec son collègue Rolland-Germain, en fut le dernier grand explorateur. L'archipel de Mingan, non loin du littoral, et l'île d'Anticosti, échouée au beau milieu du golfe, sont d'inoubliables merveilles, filles de l'eau, a dit le grand botaniste, alors que la Côte est fille du feu.

Plusieurs géants ont courtisé les fées de pierre aux îles de Mingan, dont le poète Roland Jomphe, autodidacte qui se disait diplômé de l'Université des Grands fonds. Il en était également le professeur émérite, le doyen et le recteur. Le comte Henri de Puyjalon, homme du monde à Paris comme ici, écologiste avant l'heure, termina ses jours en ermite dans l'île à la Chasse. Placide Vigneau, gardien de phare, tint un journal personnel de 1842 à 1926, journal qui est le poème épique, la chanson de geste de la Côte.

Anticosti ne manque pas de géants non plus, à commencer par Louis Jolliet, découvreur du Mississipi, hydrographe du roi, organiste, professeur et seigneur des îles de Mingan et d'Anticosti. Il y mourut on ne sait où. Plus tard s'y installa Louis Gamache, encore vénéré comme sorcier et naufrageur. Et enfin Henri Menier, chocolatier millionnaire, qui en fit son terrain de jeu avec chevreuils qui vous mangent encore dans la main et saumons qui se laissent attraper à la main.

Il y a quelques années, la route s'arrêtait à Havre-Saint-Pierre, mais voici qu'elle a repris son élan vers Baie-Johan-Beetz et Natashquan.

On ne passe pas à **Baie-Johan-Beetz** sans arrêter visiter la plus belle maison de la Côte-Nord, celle de Johan Beetz, aristocrate belge qui, pour pleurer ses amours, vint en ces lieux en trouver d'autres. Chasseur, pêcheur, naturaliste, éleveur de renards, peintre, architecte, il y construisit sa maison et, de son âme d'artiste, en décora l'intérieur d'oiseaux, de fleurs et d'enfants avec sa toute belle Adéla.

Gilles Vigneault n'est plus à **Natashquan** que de passage, mais en y regardant bien, on y retrouve tous ses personnages, Caillou La Pierre, Ti-Paul-de-par-chez-nous, Jean-du-Sud, Ti't'œil-à-Mononc-Honoré, Ti-Franc la Patate, Gros Pierre et combien d'autres, sans oublier, jamais, jamais, la sémillante Marilou.

Son Jos Hébert, lui, était plutôt de **Baie-des-Moutons** et Placide Vigneau nous en parle chaque fois que « la malle » de Blanc-Sablon arrive à Havre-Saint-Pierre avec le facteur, son comètique et ses chiens.

Un peu essoufflée, la route 138, qui traverse le Québec depuis la frontière de l'État de New York à Trout River, s'arrête soudain à la communauté montagnaise de Natashquan. Pour continuer sur la Basse-Côte-Nord, voici justement le *Nordik Express* qui se pointe au quai de Natashquan. Désormais, plusieurs villages seront majoritairement anglophones par suite d'une importante migration terre-neuvienne aux XVIIIe et XIXe siècles, Kegaska, par exemple, le prochain hameau sur notre route.

Plus loin, c'est **La Romaine**, la plus importante communauté montagnaise de la Côte. On parle encore de son missionnaire oblat d'origine belge, le père Alexis Joveneau, un homme très coloré. Coroner *ad hoc* dans cette localité plutôt isolée, il avait un diagnostic lapidaire et non équivoque pour le décès de tous ses paroissiens : arrêt cardiaque. Il mourut lui-même de cette façon.

Après le cap Whittle, la Côte et le navire mettent le cap nord-est vers le détroit de Belle Isle. Nous passons tout droit devant Chevery, doté d'un bon aéroport, et faisons escale à **Harrington Harbour**, la perle de la Basse-Côte-Nord dans l'archipel du Petit Mécatina et site d'une des histoires les plus romanesques de la colonie.

Marguerite de La Roque de Roberval avait fait la traversée avec son oncle Jean-François en 1542 et, en mer, s'était liée à un amant. Scandalisé et jaloux, Roberval voulut abandonner l'amant dans cette île déserte. Marguerite décida de l'y accompagner et sa gouvernante Damienne fit de même. Marguerite y eut un enfant qu'elle perdit, de même que son amant et sa gouvernante. Seule, elle fit le coup de feu contre les bêtes et vécut vingt-deux mois dans l'île avant d'être recueillie et ramenée en France par des pêcheurs. Son aventure, racontée dans l'*Heptaméron* de Marguerite de Navarre et la *Cosmographie universelle* d'André Thévet, a fasciné et fascine encore le monde entier aujourd'hui comme hier.

Les rues de ce village établi sur le roc sont de solides trottoirs de bois qui enjambent les goulets de rocher en rocher et relient entre elles toutes les maisons jusqu'au quai, la place publique très fréquentée par les tout-terrains et les embarcations qui viennent déverser le crabe et les pétoncles à l'usine de congélation. Le village est bien connu maintenant qu'on y a tourné *La grande séduction*, mais pour la séduction, il n'a jamais eu besoin du film.

Tête-à-la-Baleine, majoritairement francophone, est le lieu de naissance du Dr Camille Marcoux, premier enfant de la Côte à y revenir comme médecin, au centre hospitalier de Lourdes-de-Blanc-Sablon, et mort tragiquement dans la chute d'un hélicoptère en 1973. Plus loin, dans l'archipel du Gros Mécatina, **La Tabatière**, le plus important centre de produits marins sur la Basse-Côte-Nord, est majoritairement anglophone. La beauté de la vie, c'est de se trouver à table un jour avec deux employés d'Hydro-Québec parfaitement bilingues et parfaitement copains. À table comme dans les poteaux, l'un ne parle toujours qu'en français, l'autre ne lui répond qu'en anglais, et vice-versa.

Le *Nordik Express* vogue maintenant vers l'archipel de Kécarpoui et, tout au fond, s'engage dans le Petit Rigolet, un chenal de conte de fées entre la rive et les « Toutes Isles » de Jacques Cartier. Au bout, comme une surprise au très profond d'une anse étranglée, c'est **Saint-Augustin** et sa communauté montagnaise de Pakuashipi. Le navire n'a alors d'autre choix que de virer sur lui-même pour regagner la haute mer vers **Vieux-Fort**, **Brador** et **Blanc-Sablon**, reliés par la 138 qui a repris du service et qui, selon le bon vouloir de chacun, peut traverser au Labrador terre-neuvien et conduire à l'anse Amour, la bien nommée, où se trouve la plus ancienne sépulture connue en Amérique du Nord, 7 500 ans !

Quelques fantômes nous ont accompagnés dans ce voyage. Le plus connu, celui du grand naturaliste John James Audubon, est monté à bord à Natashquan en 1833 et a peint des oiseaux jusqu'ici, sur les bords les plus désolés du monde, écrit-il, et par un temps qu'on croirait celui du cap Horn.

L'abbé Jean-Baptiste-Antoine Ferland, historien, émule de François-Xavier Garneau, est également venu explorer la Côte au XIXe siècle. Mais le plus accessible et le plus vivant peut-être est l'abbé Victor-A. Huard, bras droit du naturaliste Léon Provancher, qui accompagnait son évêque en tournée pastorale de Tadoussac à Blanc-Sablon en 1895. Deux ans plus tard, il publiait *Labrador et Anticosti*, un livre d'histoire plein d'histoires.

Après avoir salué quelques-uns des grands qui se sont illustrés sur cet immense morceau de pays, il convient de rendre hommage aux quelques millions de gens qui l'ont investi à force de bras et de jambes, qui l'ont construit à force de courage et de persévérance.

Les Amérindiens, d'abord. Beaucoup de Québécois pleurent encore la défaite de 1759 qui ne fut qu'un changement d'allégeance il y a deux siècles et demi. Nos amis Montagnais, forts de traditions millénaires, affrontent, eux, depuis près de cinq siècles, un changement de civilisation très radical, avec une détermination qui dépasse maintenant la résignation.

Quant à nos compatriotes anglophones et francophones, ils y vivent et y visent la prospérité dans un contexte économique et climatique des plus rudes, souvent très loin du confort et de la sécurité acquise par les autres régions du Québec.

Ils le font tous dans un décor merveilleux que nous abordons maintenant avec respect et admiration en tournant la page.

Jean O'Neil

L'orthographe des citations de Cartier est rigoureusement celle de la relation originale de Cartier, publiée par H. Michelant et A. Ramé à Paris en 1867 et reprise par J-Camille Pouliot à Québec en 1934, sous le titre *La Grande Aventure de Jacques Cartier*.

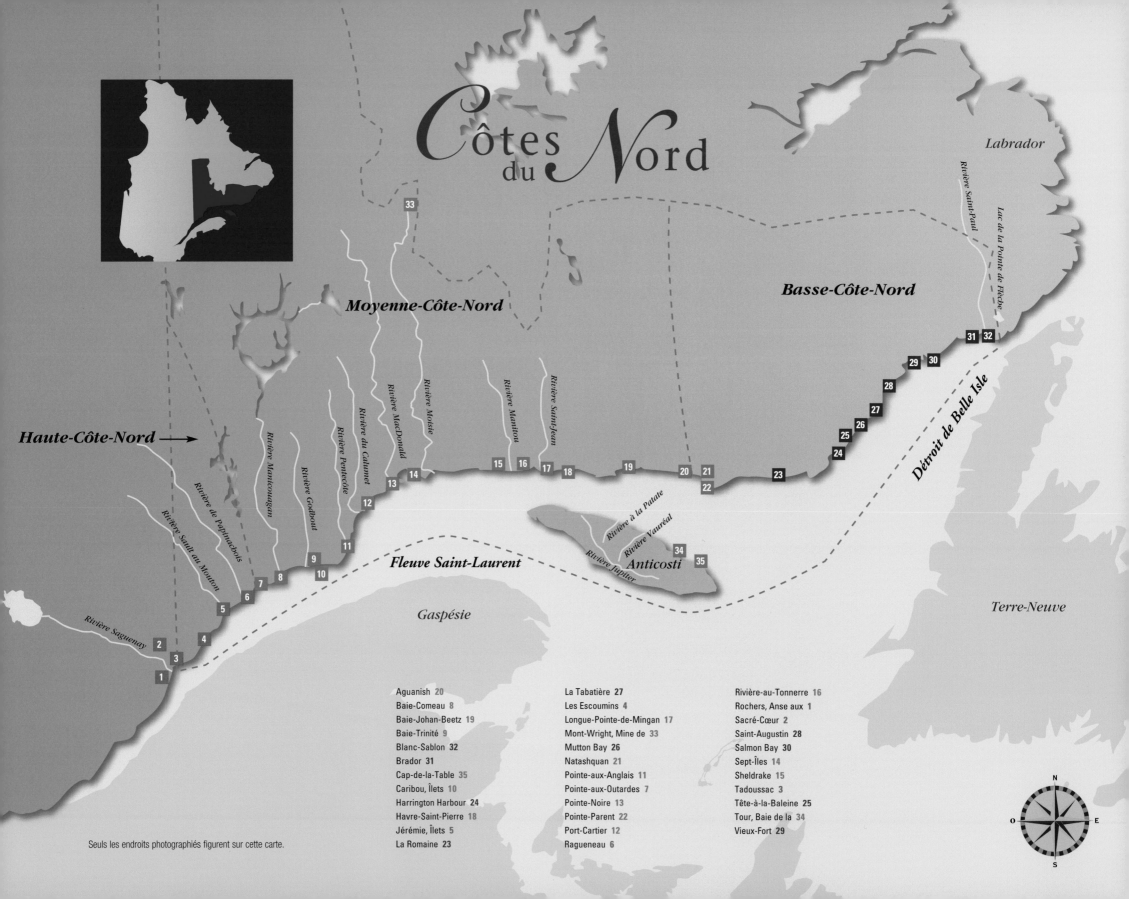

Côtes du Nord

Labrador

Rivière Saint-Paul

Lac de la Pointe de Flèche

Basse-Côte-Nord

Moyenne-Côte-Nord

33

Rivière Moisie
Rivière MacDonald
Rivière du Calumet
Rivière Pentecôte
Rivière Godbout
Rivière Manicouagan
Rivière de Papinachois
Rivière Sault au Mouton
Rivière Manitou
Rivière Saint-Jean

Haute-Côte-Nord →

Détroit de Belle Isle

31 32

29 30

28

27

26

25

24

23

15 16 17 18 19 20 21
22

14
13
12
11
10 9
8
7 6
5
4
3
2
1

Rivière Saguenay

Fleuve Saint-Laurent

Rivière à la Patate
Rivière Vauréal
Rivière Jupiter
Anticosti
34 35

Gaspésie

Terre-Neuve

Seuls les endroits photographiés figurent sur cette carte.

N
O   E
S

Avant la Société des traversiers du Québec, la Compagnie de Navigation Charlevoix-Saguenay puis l'entreprise des Clarke ont assuré le lien entre Tadoussac et Baie-Sainte-Catherine, reliant ainsi Charlevoix et la Côte-Nord.

16

Du cimetière, la chapelle de Tadoussac appelle au recueillement. Construite en 1747 par le jésuite Claude Godefroy Cocquart, elle est la plus ancienne chapelle du Canada.

Deux joyaux du patrimoine, la petite chapelle des Jésuites inaugurée en 1750 et l'hôtel Tadoussac bâti en 1942, ont succédé respectivement à la chapelle du poste de traite brûlée au début du XVIIIe siècle et au premier Hôtel Tadoussac construit en 1864.

Quelques arbres stabilisent les dunes de Tadoussac. La proximité du fleuve, les grands dépôts alluvionnaires de sable et les infrastructures humaines favorisent l'érosion très élevée des berges de la Côte-Nord.

◄ La brume hivernale sur la banquise de la baie de Tadoussac met en relief cette réalité : toute la Côte-Nord appartient, selon la classification de J.K. Litynski, à une zone de climat subpolaire.

Bâti en 1934, le pont couvert Louis-Gravel enjambe
la rivière Sainte-Marguerite à Sacré-Cœur.

20

À l'anse aux Rochers, une estacade
protège les embarcations de la marina
du brassage occasionné par les
vagues du Saguenay ou la houle que
soulèvent les grands navires.

À marée basse, la baie des Escoumins dévoile ses trésors. ▶
Les Innus, aussi appelés Montagnais, qui fréquentaient la région
étaient les Essipiunnats – Gens de la rivière aux coquillages.

Érigé en municipalité en 1863,
Les Escoumins devient au cours
du XIXᵉ siècle le centre économique
et administratif de la Haute-Côte-Nord.
Laurette M. Caron disait qu'en juin
il y a tellement de mouches qu'elles
nous lèvent de terre…

Une passe migratoire permet au saumon atlantique de surmonter l'obstacle que constitue l'écluse de la rivière des Escoumins. Le barrage a servi à alimenter une scierie.

25

◀ Dans la petite municipalité des Îlets-Jérémie, la première
chapelle du poste de traite a été construite en 1735.
Elle a été consacrée à sainte Anne qui, de par sa nature
de grand-mère, a toujours la faveur des Innus.

Le lichen est très répandu dans la forêt
boréale québécoise, le plus important
écosystème forestier de la planète.
Il pousse dans des endroits abandonnés
par toute autre forme de vie végétale.

Dans les cavités du granite des îlets Jérémie, on trouve des algues en abondance.
Cette roche magmatique a été l'objet d'une exploitation commerciale pendant un peu plus
d'une décennie sur la Côte-Nord. Ce marché tourne maintenant au ralenti.

29

La rivière du Sault au Mouton a pendant plusieurs années
servi l'industrie du bois ; elle est maintenant une halte
touristique fort prisée par les voyageurs.

À marée basse, il est possible de faire
la découverte des îlets Jérémie.
Ils sont tapissés de plusieurs centimètres
de coquillages de toutes sortes,
sur plusieurs mètres de distance.

En bordure du fleuve Saint-Laurent, le relief de la haute côte nord est principalement formé de granite. Après la dernière glaciation, l'érosion a créé de longues anses maintenant colonisées par une forte végétation d'algues.

Les fruits du cormier – sorbier domestique – colorent l'arrière-plan de granite et de tourbe aux abords du village de Ragueneau.

À Ragueneau comme ailleurs au Québec, l'automne est le temps de la chasse. La cache attend les chasseurs qui partiront à l'aube. Ici, les marées façonnent plusieurs kilomètres de berges.

Les fruits du cormier nourrissent principalement les oiseaux
migrateurs. Ils étaient autrefois utilisés par les habitants
à cause de leurs vertus nutritives.

◄ Un trottoir de bois serpente entre les dunes de sable du parc régional de Pointe-aux-Outardes.
Ces lieux fréquentés par les randonneurs servent de refuge aux oiseaux migrateurs et aux renards.

À Pointe-aux-Outardes, deux pierres
tombales racontent le drame du départ
d'une mère et de son enfant.

34

Le long de la rivière de Papinachois, une tente offre son tapis de sapin odoriférant et la possibilité d'un thé chaud. Le terme « Papinachois » a d'abord désigné le clan des Innus qui fréquentaient les environs des rivières aux Outardes et Manicouagan.

Le pont couvert Émile-Lapointe date de 1945. On peut le voir sur ▶ la route de Baie-Saint-Ludger, près de Pointe-aux-Outardes.

36

En 1940, l'Italien Guido Nicheri illumina
l'église de Sainte-Amélie – maintenant
La Nativité-de-Jésus – de fresques
et de vitraux.

Dans le vieux Baie-Comeau, le manoir et l'ancien quartier des cadres s'étalent ▶
devant le Saint-Laurent. Ils sont nés en même temps que la ville, entre 1935 et 1938,
grâce à 5 000 ouvriers travaillant sous la direction de Robert R. McCormick,
grand patron de l'Ontario Paper, filiale du *Chicago Tribune*.

◄ Le port de Baie-Comeau est principalement utilisé pour le chargement de lingots d'aluminium
à bord des navires. On peut y transborder environ deux millions et demi de tonnes
de matière transformée pour la seule industrie de l'aluminium.

39

C'est dans le port de Baie-Comeau
que s'effectue le transbordage
de la matière première essentielle
à la production de l'aluminium
par la compagnie Alcoa.

Le gigantisme des équipements d'extraction du minerai de fer à la mine de Mont-Wright a permis de traiter plusieurs centaines de milliers de tonnes métriques de minerai au fil des ans.

L'exploitation forestière est une activité économique majeure sur la Côte-Nord. Ce chemin de fer mène à l'usine de pâtes et papiers de la ville de Baie-Comeau.

Les godets de 20 verges cubes remplissent un camion de 200 tonnes en un rien de temps. Le mouvement mécanique de ces monstres est assuré par des moteurs électriques. ▶

Dans le Parc Boréal du Saint-Laurent, quelques pins gris dominent
l'anse Saint-Pancrace près de Baie-Comeau. Un réseau de sentiers conduit
à des tourbières, à des falaises vertigineuses et à des chutes superbes.

43

Au fil des ans, la compagnie minière
Québec Cartier a déplacé
suffisamment de matériel pour
permettre la fabrication d'une route
aussi large que l'autoroute 20
et aussi longue que la distance
entre Fermont et Rio de Janeiro
en passant par le Yukon.

Nuit d'été à marée basse. Sur la pointe des Monts à Baie-Trinité, on a conservé le phare et tous les bâtiments de service utilisés autrefois par les familles des gardiens.

Au lieu même où l'estuaire du Saint-Laurent embrasse le golfe, le phare de la pointe des Monts a été bâti entre 1829 et 1830. Son feu à 27 mètres de hauteur prévenait les navigateurs des dangers de l'île d'Anticosti.

46

Aux îlets Caribou, de vieilles maisons
de pêcheurs ont traversé le temps et
témoignent d'une autre époque.

Au hameau de Baie-des-Homards près de Baie-Comeau,
de vieux grappins s'accrochent à la côte,
comme ses vieux pêcheurs à un mode de vie
maintenant aléatoire.

48

Au lever du soleil, aux abords du
sentier bucolique des îlets Caribou,
les fruits du genévrier ont presque
les mêmes teintes que le lichen,
la mousse et le granite.

À l'embouchure de cette rivière,
le dimanche de la Pentecôte 1535,
un certain Jacques Cartier s'arrêta :
la rivière Pentecôte était nommée.
Le village naîtra en 1883 avec
l'établissement d'une scierie par
Gagnon et Frères.

Au large de Port-Cartier, le minéralier *Lady Era* agonise depuis 1978. Ville papetière sous McCormick, Port-Cartier a pris une vocation minière à l'arrivée de la Québec Cartier en 1957 ; au fil du temps se sont ajoutées les activités de l'entreposage et du transbordement des céréales.

50

Ils ont monté leurs tentes tout près de la rivière du Calumet. À marée basse, le sable est parsemé de blocs erratiques que l'on prend plaisir à escalader.

Arrivé au Québec à la fin des années 80,
monsieur Pierre Langlade est devenu
un adepte de la pêche au saumon.
Il fabrique ses propres mouches
et vit pratiquement sur les rives
de la rivière Godbout en compagnie
de son fidèle épagneul.

Les navires qui fréquentent
les ports de la Côte-Nord viennent
de partout à travers le monde.
Ici, à Pointe-Noire, le *Jaeger Arrow*
attend le chargement de milliers
de tonnes de lingots d'aluminium.

Alouette, Alouette, je fabriquerai des lingots par milliers… ▶
que dire, par millions. Les travaux d'expansion de l'aluminerie ont nécessité
un investissement de 1,45 milliard $ et se sont terminés à l'été 2005.

54

La rivière Sainte-Marguerite a été harnachée pour la dernière fois à la fin des années 90. D'une longueur de 306 km, elle ressemble davantage à un fleuve.

Sur les berges de la baie de Sept-Îles, sur des terres de Louis Jolliet, s'élevait autrefois ▶ un poste de traite de la Compagnie de la Baie d'Hudson. On a reconstruit sur le site du Vieux-Poste un magasin, la maison du gérant et une chapelle à l'intérieur d'un fort où sont exposées la vie amérindienne et celle des coureurs des bois.

56

La marina de Sept-Îles s'ouvre sur l'archipel avec ses joyaux : la Grande et la Petite Basque, la Petite et la Grosse Boule, l'île Manowin, l'île du Corossol et les îlets De Quen, puis le bleu de la mer, les marsouins, les dauphins, les baleines…

Un vieux quai à l'embouchure de la rivière Moisie ▶ sert de terrain de jeu à ces jeunes Innus de Maliotenam.

◀ Une aube bleue découvre le lac Walker dans la réserve faunique de Port-Cartier–Sept-Îles.
Le lac, long de 30 km, offre ses plages et ses falaises pour la pêche et le camping.

À l'embouchure de la rivière aux Bouleaux, quelque chose a changé. Nous avons quitté l'effervescence de la ville nord-côtière pour un grand silence où, sur 360 km de littoral allant de Sheldrake à Natashquan, la poésie a pris un nom, la Minganie.

Après la pluie, c'est le retour au campement à la fin d'une longue journée ▶ de pêche sur la Moisie. Cette rivière de 435 km a longtemps été la destination privilégiée de riches pêcheurs, américains et canadiens.

Une pluie diluvienne a gonflé
les eaux de la rivière MacDonald
et de sa chute ; elle empêche la
montaison du saumon plus en amont.

La Manitou, rivière longue de 150 km, chute près de ▶
son embouchure en deux paliers principaux hauts de 72 m.

64

À Rivière-au-Tonnerre, les eaux de la rivière du Sault Plat courent dans une cannelure glaciaire, sur un terrain peu accidenté en bordure du plateau laurentien, d'où son nom.

65

Amarré au port de Havre-Saint-Pierre, le *Ferbec* sera bientôt chargé de minerai de fer et de titane qu'on transformera dans les fonderies du même nom à Sorel. Le poète Roland Jomphe s'amusait à dire que le titane du Havre s'était rendu sur la Lune avant que la route ne se rende au Havre.

À Sheldrake, une balise signale les dangers de la navigation.
Ce village de pêcheurs a vu s'établir des commerçants gaspésiens entre 1853 et 1857.

L'église de Rivière-au-Tonnerre
est une réplique de celle de Church
Point en Nouvelle-Écosse. C'est un
père eudiste, formé comme architecte,
qui proposa sa construction
aux habitants du village.

Joseph-Louis Hésry proposa
une construction en bois,
de type semi-cathédrale.

Tôt le matin, la rivière Saint-Jean attend les pêcheurs de saumon atlantique ▶
et de truite de mer. En amont, la rivière longue de 250 km a été la source
de la subsistance de groupes d'Innus.

71

◀ Un autre aspect architectural des plus intéressants : la mise en valeur d'une soixantaine d'éléments
décoratifs en bois, sculptés au couteau de poche par messieurs John Cody et James Boudreau.
Ces deux artisans ont assisté le père Hésry lors de la construction de l'église, entre 1908 et 1912.

Cette église présente une
caractéristique exceptionnelle,
puisqu'elle possède deux jubés.

Ce clown des mers partage les eaux du golfe
avec le rorqual commun, le petit rorqual, le rorqual bleu,
le cachalot, la baleine noire, le globicéphale, l'épaulard,
le dauphin à flancs blancs et le marsouin commun.

74

Une baleine à bosse – rorqual –
émerge de l'eau pour respirer.
Elle courbe son dos et salue de sa
nageoire caudale avant de sombrer
dans les profondeurs nourricières.

Les grands mammifères marins ont d'abord été exploités par les baleiniers basques puis,
au début du XVIIIe siècle, par les habitants de la Minganie et de la Basse-Côte-Nord.
Après la Conquête, leur capture est devenue l'apanage des pêcheurs américains.

Sur fond de cornouiller du Canada ou pain de perdrix, le fruit de la clintonie boréale est bleu foncé.
On dit que certains chasseurs frottaient leurs pièges du rhizome de cette plante pour attirer l'ours.

Madame Agathe Pietacho,
de La Romaine, cueille les framboises
aux abords du village de Mingan.

Un drôle d'oiseau s'élève sur l'île Nue de Mingan qui, avec ses consœurs de l'archipel, émergea des fonds marins il y a 8 000 ans. Elles ont formé un chapelet d'îles et d'îlots entre Longue-Pointe-de-Mingan et Baie-Johan-Beetz.

L'eau, le vent, les gels et les dégels ont sculpté ces monolithes ▶ dans un calcaire vieux de 450 millions d'années.

Les monolithes de calcaire ont évoqué les formes et la vie, et un poète les a baptisés et chantés. C'est Roland Jomphe, secrétaire municipal, qui, selon ses propres termes, fit ses humanités à l'université de la Vie.

À l'île Niapiskau – Askawsipanan Ministuk, l'île de l'attente aux canards pour les Innus – la plus achalandée de l'archipel de Mingan, la Dame se dresse devant la mer comme une gigantesque Vénus de la préhistoire. ▶

83

Monsieur Raynald Cody, violoniste
et retraité de Rivière-au-Tonnerre
en visite à Havre-Saint-Pierre,
cueille la chicoutai. Il appelle
ce fruit la « plaquebière », déformation
du vieux français « plat de bièvre »
ou nourriture du castor.

◄ Sur l'île Quarry, au large de Havre-Saint-Pierre,
le soleil dore les pots de fleurs, monolithes à la forme évasée
porteurs de végétation à leur sommet.

◄ Une barque repose sur la rivière de Piastre Baie, de l'expression montagnaise *piashite-pets*, là où l'eau passe par-dessus ; selon certains, l'appellation proviendrait du mot *piashtibé*, baie sèche ou là où l'eau monte. La municipalité prit le nom de Baie-Johan-Beetz en 1965.

Au petit matin, les macareux moines survolent les abords de l'île à Calculot, en face de Havre-Saint-Pierre. Ces oiseaux sont agiles et très rapides ; ils plongent, s'aident ensuite de leurs ailes pour « voler » sous l'eau et utilisent leurs pattes comme gouvernail.

◄   En amont de la maison Johan-Beetz, aux dernières lueurs du jour.

La maison de l'aristocrate belge Johan Beetz, artiste et naturaliste, a été bâtie en 1899. D'inspiration Second Empire, l'habitation est devenue avec le temps un lieu d'hébergement pour les pêcheurs de saumon.

Les cabanes de pêcheurs, abondantes au siècle dernier,
étaient habituellement recouvertes de bardeaux de cèdre.

Le village d'Aguanish compte,
avec le hameau de l'île Michon,
380 habitants. Son nom d'origine
innue signifie « petit abri ».

90

Réjean Blais, guide de pêche
au saumon en été, guide de chasse
en automne et trappeur en hiver,
contemple la rivière Aguanish.

Du côté nord des dunes de la rivière Aguanish, un immense ▶
bassin sablonneux s'est formé avec le temps, favorisant
l'exercice de nombreuses activités aquatiques.

C'est un début de matinée dans
la baie de Natashquan.
Des épilobes apparaissent
à la mi-juillet sur un fond
de blé de mer.

93

Iris versicolores à la ligne des galets devant les magasins aux abords de Natashquan. C'est sur ces mêmes galets que les pêcheurs débarquaient autrefois la morue, en faisaient des filets et la salaient avant de l'entreposer dans les magasins.

Les premières lueurs du soleil colorent les magasins sur les galets. À cette heure-là, il y a une vingtaine d'années, les pêcheurs revenaient avec la boëtte. Ils avaient levé l'ancre vers deux heures du matin, à cette époque où les journées de vingt heures n'étaient pas rares. ▶

◀ À Pointe-Parent, les traces laissées par les moyens de transport terrestre contrastent avec celles dessinées par les mouvements de l'eau dans l'embouchure de la rivière Natashquan.

Les pétoncliers du Havre au lever du jour. La pêche aux pétoncles est une activité très lucrative pour les gens de la côte.

Un renard argenté se tient à l'affût.
Ses ancêtres ont été introduits à l'île
d'Anticosti entre 1920 et 1930.
Il appartient à la même espèce
que le renard roux.

Depuis l'époque des Menier jusqu'à aujourd'hui, les eaux émeraude sur fond de calcaire de ▶
la rivière Jupiter ont offert la majeure partie des captures de saumon atlantique d'Anticosti.

Au hameau de Pointe-Ouest, quelques cerfs de Virginie broutent devant l'épave du *Calou*. Entre l'échouage du *Renommée* en 1736 et celui du *Calou* en 1982, on a enregistré à Anticosti 179 naufrages dont plusieurs ont été dramatiques.

Au lieu-dit de Baie-Sainte-Claire, quelques rares maisons témoignent encore de l'ancien ▶ village de la pointe ouest d'Anticosti né à la fin du XIXe siècle. Henri Menier avait baptisé la communauté d'English Bay du prénom de sa mère, Claire, en 1896.

Baignade sous la chute Vauréal, sur l'île d'Anticosti. On peut se reposer sur les paliers naturels formés par l'érosion tout en observant les sauts des saumons.

En période d'étiage, voici la rivière Vauréal et sa chute qui s'engouffre dans un canyon de 3,2 km de longueur, avec des parois atteignant une hauteur de 90 m. Vauréal était le nom d'un des châteaux d'Henri Menier. ▶

106

À bord de l'*Eider*, la falaise
de la pointe Saint-Charles
au coucher du soleil. La brise est
fraîche et l'ami Marc Talbot lance :
« La Minganie, c'est l'endroit
où le vent d'hiver vient prendre
ses vacances d'été. »

Au retour de la baignade, on profite
des merveilleux paysages qu'offre
le canyon de la Vauréal autrefois
connue sous l'appellation de Morsal
ou Maujerol en souvenir d'un huguenot
français d'Avignon.

La pointe de la falaise au cap de
la baie de la Tour est imposante
et spectaculaire.

Après la pluie, la couleur et la forme des falaises
de la baie de la rivière Saumon sont évocatrices...

À la pourvoirie de la rivière Saumon, monsieur Jean Gagnon a permis à plusieurs sculpteurs ▶
de s'exprimer en utilisant les matériaux trouvés sur l'île. Cette collection de sculptures
de tous genres et celle du lieu-dit Cap-de-la-Table sont particulièrement impressionnantes.

◀ Les nombreux lacs d'Anticosti colonisés par la végétation offrent
des lieux d'alimentation intéressants à la population de chevreuils.

Les paysages d'Anticosti permettent des coups d'œil
saisissants. Médecin au Havre, Mimi Samson longe
les falaises lors de ses randonnées en kayak de mer.

114

Le cerf de Virginie a été introduit à Anticosti par Henri Menier au siècle dernier. À proximité des pourvoiries, ils sont nombreux à se faire admirer.

On dit des chevreuils de l'île d'Anticosti qu'ils mangent dans nos mains… ▶

116

Le « cerf volant » d'Anticosti, sur fond de mer. On peut surprendre aisément le cerf de Virginie tôt le matin, alors qu'il s'alimente d'algues. Surpris, l'animal est capable de bondir à quelques mètres de hauteur sur une distance de plusieurs mètres.

Sand Top, une merveilleuse falaise artistiquement sculptée par l'érosion. ▶
Ici, le sol est parsemé de fossiles de toutes sortes.

L'heure heureuse du bain de soleil…
avant de plonger chercher sa
nourriture dans les eaux parcourues
par le courant du Labrador, dont la
température oscille autour de 4 °C.

119

Les phoques du Groenland se trouvent
en abondance sur les multiples plages
d'Anticosti. Au printemps, pendant
la mise bas sur les échoueries,
on les compte par milliers.

La baie des Renards, plus connue
sous le nom de Fox Bay.

Il est fréquent de trouver des squelettes de baleines sur les plages de l'île. ▶
Ici, les restes d'un rorqual à bosse gisent près d'anciens bâtiments de la baie
des Renards. Les pêcheurs avaient installé une homarderie en ces lieux.

122

Le relief de bosses et de creux
à l'intérieur de l'île d'Anticosti a
favorisé la formation d'innombrables
lacs et marécages dont plusieurs
sont couverts de nénuphars.

123

Il s'agit sans doute de l'épave
du *Mongibello*, échoué sur le récif
depuis une quarantaine d'années.

124

Anticosti a depuis toujours été un lieu de transhumance. Encore de nos jours, des pêcheurs de homard s'installent sur l'île pour toute la saison estivale de pêche. Ils viennent de Gaspé, de Havre-Saint-Pierre et d'ailleurs sur les côtes nord et sud.

Kegaska, à 40 km à l'est de Natashquan, tire son nom de *quecasca* – passage étroit ▶ entre l'île et le continent. Les Madelinots qui s'y sont installés entre 1854 et 1860 auront quitté le village en 1873.

127

Un sémaphore tient lieu de croix près de la chapelle de Kegaska. Après le départ des Acadiens restera Samuel Freeman arrivé en 1855 de Nouvelle-Écosse avec sa famille. Viendront ensuite des familles de Terre-Neuve, des exilés d'Anticosti et quelques Ontariens.

La Romaine constitue l'une des deux communautés innues de la Basse-Côte-Nord avec celle de Pakuashipi à Saint-Augustin. Les deux villages ont été établis au milieu du XXᵉ siècle, et les Innus ont hérité des missionnaires l'usage de la langue française.

129

À bord du *Nordik Express*, un Innu rejoint son village. Selon le mode de vie traditionnel des Innus, les activités de chasse, de pêche, de cueillette et de trappage s'exercent essentiellement à l'intérieur des terres, là où sont le gibier, le poisson et les animaux à fourrure.

◄ Sur son support de bois, à l'embouchure de la rivière Olomane, une embarcation domine le paysage hivernal. *Olomane* ou *oromane* signifie « ocre rouge », couleur des eaux de la rivière lors des crues. Ce sont ces mots qui, d'une déformation phonétique à l'autre, sont devenus « La Romaine ».

130

La rivière du Petit Mécatina serpente au nord des villages de Tête-à-la-Baleine et de Chevery. Le paysage environnant la rivière est typique de la Basse-Côte-Nord : buttes dénudées ou couvertes de matière organique, roches métamorphiques de type gneiss. Nous sommes en présence d'une forêt subarctique.

Harrington Harbour, c'est un village construit sur la roche, ▶ c'est la découverte d'un autre peuple, c'est Terre-Neuve au Québec...

À l'écart de Harrington, une vieille
maison de pêcheur connaît les affres
de la décrépitude. Plusieurs des
familles venues de Terre-Neuve au
XIXe siècle se sont également installées
à Mutton Bay, Rivière-Saint-Paul
et Kegaska.

◄ Une passerelle de bois prolonge le trottoir au-dessus de la baie de l'Est à Harrington Harbour.
Les nombreuses îles entourant le village protègent son port des tempêtes du golfe.

◄ Terre aride et situation géographique exclusive, le village de Harrington Harbour a été nommé *Ysles saincte Martre* par Jacques Cartier en 1535. Son développement s'est fait essentiellement par la migration de Terre-Neuviens, vers 1850.

Outre le dimanche réservé à l'office religieux et, pour certains, au lavage ou à la construction d'une niche pour le chien, la plupart des activités de Harrington Harbour tournent autour de la pêche au crabe et de sa transformation.

Le soleil se lève sur quelques maisons
de Harrington, son trottoir de bois et
sur l'île de l'Hôpital.

L'artiste est décédé récemment,
mais on peut toujours admirer le
travail de monsieur Sterling Roswell.
À cause d'un handicap sérieux,
il n'utilisait qu'un seul bras
pour fabriquer ses maisonnettes
et ses bateaux miniatures.

L'île Providence révèle un mode de vie
en voie de disparition sur la Basse-
Côte-Nord, celui de la transhumance.
L'été, on passe la saison de pêche sur
les îles pour se rapprocher du poisson,
et l'hiver on revient à l'intérieur
des terres.

◄ Un 1er mai, le *Nordik Express* fait escale au quai de Tête-à-la-Baleine.
Le village, à quelques kilomètres à l'intérieur des terres, tire son nom
d'une île ronde et lisse dont la forme rappelle celle d'une tête de baleine.

141

À Mutton Bay, un entrepôt pour gréements de pêche et un humble quai de bois illustrent les liens intimes de ses habitants avec la mer. Ses eaux regorgent de crustacés et de pétoncles.

Sous le Régime français, Mutton Bay portait le nom de « L'Anse-du-Portage ». C'est là que le Jersyais Philippe Le Brocq a exploité une pêche au loup marin entre 1850 et 1860.

À l'hiver 2004, des vents de 120 à 150 km/h ont enseveli
cette maison de Mutton Bay sous la neige ; ce sont
des voisins et des parents qui ont dégagé les occupants.
La maison fut une perte totale.

142

C'est en 1804 qu'il est fait mention
d'un premier poste de traite
à la Baie-des-Moutons ou
Mutton Bay. La forme des portes
de l'église, fortement colorée,
impressionne.

Au début du XXe siècle, Charles Wendell-Townsend, naturaliste, décrit ainsi Mutton Bay en été : ▶
« Sous la protection de la falaise une chute d'eau se précipite vaporisant
le petit village de Mutton Bay ». Que dirait-il du village dans sa beauté hivernale ?

◄ Sur les îles en face de Harrington, les habitants de Chevery et des environs pratiquent encore la migration saisonnière. Ils quittent leurs maisons d'hiver pour retrouver celles qui les ont vus naître. Sur ces îles, on se déplace en cométique, on cuisine au bois, on transporte l'eau à bras. C'est un endroit où le temps semble encore s'étirer entre deux paroles.

146

Lorsque la marée se retire, elle laisse place à un immense bassin peu profond. Louis Jolliet a donné le nom de « Pegouasiou » – rivière trompeuse – à la rivière Saint-Augustin en raison des sables qui se déplacent à son embouchure et de sa faible profondeur.

À La Tabatière – prononcer La Tabachtière – les bateaux de pêche dorment au quai, prisonniers de la neige et des glaces. L'histoire du village est intimement liée à celle de Samuel Robertson, originaire d'Écosse, qui s'y est installé en 1820 pour exploiter avec sa famille la pêche au loup marin. ►

En avril, alors que les glaces n'ont pas encore
complètement relâché leur étreinte sur le golfe,
le *Nordik Express* redevient le principal moyen
d'approvisionnement de la Basse-Côte-Nord.

148

En hiver, lorsque le golfe est gelé,
l'avion devient, avec la motoneige,
le seul moyen de transport à relier
la Basse-Côte-Nord au monde
extérieur. La voie des airs permet
la distribution du courrier et
des biens de première nécessité.

Nous sommes aux abords de la rivière Saint-Augustin, pays du relief éraflé, ▶
écorché, érodé, usé par les mouvements inexorables des glaciers.

Quand Jacques Cartier « découvrit » le Canada en 1534, il déposa au lieu-dit Vieux-Fort une provision d'eau et de bois. Dès le début du XVIᵉ siècle cependant, cet endroit était le Brest des pêcheurs bretons. Avec leurs confrères basques et normands, ils avaient gardé le secret des « terres neuves » pour éviter la concurrence.

150

Le poids du temps et de la neige a ébranlé cette remise de Saint-Augustin.

151

Maynard Martin prépare des martres trappées dans son territoire près de Saint-Augustin. Dans les années 1920, cette communauté comptait plus de 50 % des titulaires de lots de piégeage de la Basse-Côte-Nord.

153

Au large de Rivière-Saint-Paul, un crabier accompagné d'un cortège
de goélands ramène ses captures à l'usine de transformation.

À l'époque où on l'appelait Brest,
les habitants de Vieux-Fort vivaient
presque tous de la pêche. Bien avant
la ville de Québec, c'était un lieu
cosmopolite où se rencontraient
Français, Espagnols, Anglais,
Portugais, Innus, Naskapis et Inuits.

154

Situé le long de la côte, mais accessible uniquement par bateau, le village de Salmon Bay, autrefois habité à l'année, n'est plus fréquenté que par quelques pêcheurs en été.

La rivière Saint-Paul a porté le nom de rivière des Esquimaux. ▶
Elle a été fréquentée par des Amérindiens de l'actuel Labrador qui trouvaient le caribou, la sauvagine, le saumon et les ressources du détroit de Belle Isle tout au long de son parcours de 161 km.

Les viscères des morues ont vite
trouvé preneurs au quai de Salmon Bay.
La pêche du matin s'est limitée
à quelques poissons…

À une dizaine de kilomètres en amont de son embouchure, la rivière Saint-Paul creuse son lit dans ▶
un ancien dépôt alluvionnaire consécutif au relèvement du continent après la dernière glaciation.

158

Middle Bay est l'un des plus petits
hameaux de la Basse-Côte-Nord.
Il a été un havre pour les Français
et les Basques qui venaient chasser
la baleine boréale et la baleine noire
dans le golfe aux XVIe et XVIIe siècles.

En 1708, Augustin le Gardeur de Courtemanche avait établi un fort à l'embouchure ▶
de la rivière des Esquimaux, qu'il déménagea ensuite au hameau de Brador.
Sa concession allait de Kegaska à la baie de Kessessaskiou, l'actuel Hamilton Inlet.

161

Dans les années 1850, quelques Canadiens français et des Terre-Neuviens se sont établis à Middle Bay. Ils avaient quitté leurs villages d'origine qui vivaient alors sous le joug de marchands rapaces.

◀ Le lieu-dit Smith's à Middle Bay abrite non seulement des bâtiments du début du XXᵉ siècle, mais aussi les ruines d'un poste baleinier exploité vers 1550.

162

Brador et un réseau routier serpentant à travers le roc. Cette région a longtemps été un centre d'activité maritime et militaire.

Au sommet d'une colline en bordure
du lac de la Pointe de Flèche,
le dernier inlandsis a laissé un bloc
erratique en équilibre « instable »
depuis 10 000 ans…

165

Au fond de la baie, dans les collines,
les eaux de la rivière Brador jaillissent
en cascade. La petite rivière,
longue de 32 km, dévale de son point
d'origine jusqu'à l'océan
sur plus de 400 m de dénivelée.

◄ Un tronçon de 65 km de la route 138 relie Vieux-Fort à Blanc-Sablon et devient au Labrador la route 510.
À l'ouest, un autre tronçon de 10 km relie Mutton Bay à La Tabatière.

Un 30 avril à Lourdes-de-Blanc-Sablon, le courant du Labrador a compacté la banquise dans le détroit de Belle Isle. Son départ permettra l'arrivée subséquente des icebergs en provenance du Groenland.

Un brise-glace de la Garde côtière
canadienne a permis au *Nordik Express*
d'atteindre sa destination ultime :
Blanc-Sablon, aux portes du Labrador.
La limite actuelle de la frontière
Québec-Labrador n'a été fixée
qu'en 1927.

Sur une pointe de Lourdes-de-Blanc-Sablon, remise, barque et gréement essuient les vents ▶
du détroit de Belle Isle. Là s'engouffrent les courants du Labrador, porteurs de brumes et de ressac,
mais aussi d'une richesse biologique exceptionnelle. Dans cette « soupe de plancton » ont proliféré
capelans et lançons, saumons et morues, phoques et baleines.

169

◀ La région de la Basse-Côte-Nord s'appuie sur un bâti rocheux dont la longue frange morcelée s'étend de Kégaska
jusqu'au Labrador. Constituée surtout de gneiss et de granite sableux, la côte se découpe en une multitude d'anses
et de plages magnifiques datant de l'époque où la mer de Goldthwait s'est retirée.

On distingue au loin les collines de
Brador. Les pêcheurs basques s'en
rapprochaient pour construire leurs
maisons à l'abri des vents violents
qui soufflent l'hiver sur ces contrées.

172

C'est la dernière journée de pêche
à la morue de la saison. Le bateau de
messieurs Robert Beaudoin et Guy Jones
est chargé à pleine capacité.

173

Au début du XVIIIᵉ siècle, près de 1 200 pêcheurs se disputaient les rives et les îles de Blanc-Sablon pour y faire sécher la morue. Les falaises surplombant le village l'ont souvent protégé des vents, mais elles ont aussi été le lieu d'avalanches meurtrières.

CRÉDITS PHOTOGRAPHIQUES SELON LA PAGINATION

Robert BARONET			Claude BOUCHARD			
16	70	115	14-15	60	129	165
25	71	116	17	62	132	166
26-27	76	117	18	63	133	167
28	77	118	19	64	135	170-171
29	83	119	20	66-67	136	173
30	84	120	21	72-73	138	
31	85	121	22	74	139	
33 (gauche)	86	122	23	75	140	
35	87	123	24	78	141	
38	88	124	32	79	142 (droite)	
39	91	130	33 (droite)	80	143	
40	92	131	34	81	147	
41	93	134	36	82	148	
43	94	137	37	89	150	
44	95	142 (gauche)	42	90	151	
48 (gauche)	96-97	144-145	45	98	152	
50 (gauche)	102	146	46	99	154	
51	106	149	47	100	155	
52	107	153	48 (droite)	101	156	
53	108	158	49	103	157	
54	109	162	50 (droite)	104-105	159	
61	110	168	55	125	160	
65	111	169	56	126	161	
68	112-113	172	57	127	163	
69	114		58-59	128	164	

À PROPOS DES AUTEURS

Robert BARONET

Robert Baronet a étudié la photographie à l'Institut polytechnique de Ryerson à Toronto. Il vit en Gaspésie et fait de la photographie de nature depuis 1982.

Photographe multidisciplinaire, il enseigne son art au cégep de Matane. Il réalise des projets personnels de recherche photographique dont le dernier, *L'acte pérenne : les mines*, a récemment été exposé au Musée du Bas-Saint-Laurent et à l'Espace f. Il fait aussi de la photographie commerciale, éditoriale et d'entreprise. Ses œuvres ont été publiées dans des rapports annuels et dans des livres comme le guide *Les plages et les grèves de la Gaspésie* et *Vers la mer*, de même que dans des magazines québécois, américains et européens. Il collabore également avec les agences Alpha-Presse et Alt-6. Il a été finaliste dans la catégorie Paysage et Nature au dernier concours Lux.

Claude BOUCHARD

Claude Bouchard est l'auteur du livre *Par monts et par vaux Chaudière-Appalaches* et coauteur de *Vers la mer*, deux ouvrages de la collection Coins de pays publiée par Les Publications du Québec. Il est également coauteur du guide *Les plages et les grèves de la Gaspésie*, des livres *Québec maritime*, *La baie de Fundy* et *Les Sentinelles du Saint-Laurent*. Il a participé à des ouvrages sur Charlevoix, sur les parcs canadiens et sur la baie James.

Il a exposé ses photographies au Musée de la civilisation de Québec, à Paris, Bruxelles, Londres, Barcelone et New York.

En 2002, l'Association des illustrateurs et illustratrices du Québec lui décernait le premier prix de la catégorie Paysage et Nature pour la photographie en couverture de *Vers la mer*, premier livre de la collection Coins de pays.

Jean O'NEIL

Jean O'Neil a mené de front une carrière d'écrivain, de journaliste et d'agent d'information au service du gouvernement du Québec, carrière au cours de laquelle il a parcouru le territoire québécois de long en large. Ses voyages sur la Côte-Nord l'ont amené à publier, en 1996, *Ladicte coste du Nord*, titre emprunté à Jacques Cartier lui-même. En plus d'avoir participé à de nombreuses publications, il vient de signer son vingt-cinquième ouvrage, *Mon beau Far West*, une suite de récits sur l'Abitibi-Témiscamingue.

Jean O'Neil a été reçu chevalier de l'Ordre national du Québec en 1998.

Achevé d'imprimer en juillet 2005
sur les presses de l'imprimerie
Transcontinental Québec
à Québec

Ce livre vous est gracieusement offert par :